NAOT BOO
地球に靴で乗

DANIELA White

5　地球に靴で乗る　小檜山貴裕

LATEST Black Velvet

MALTA Buffalo Leather

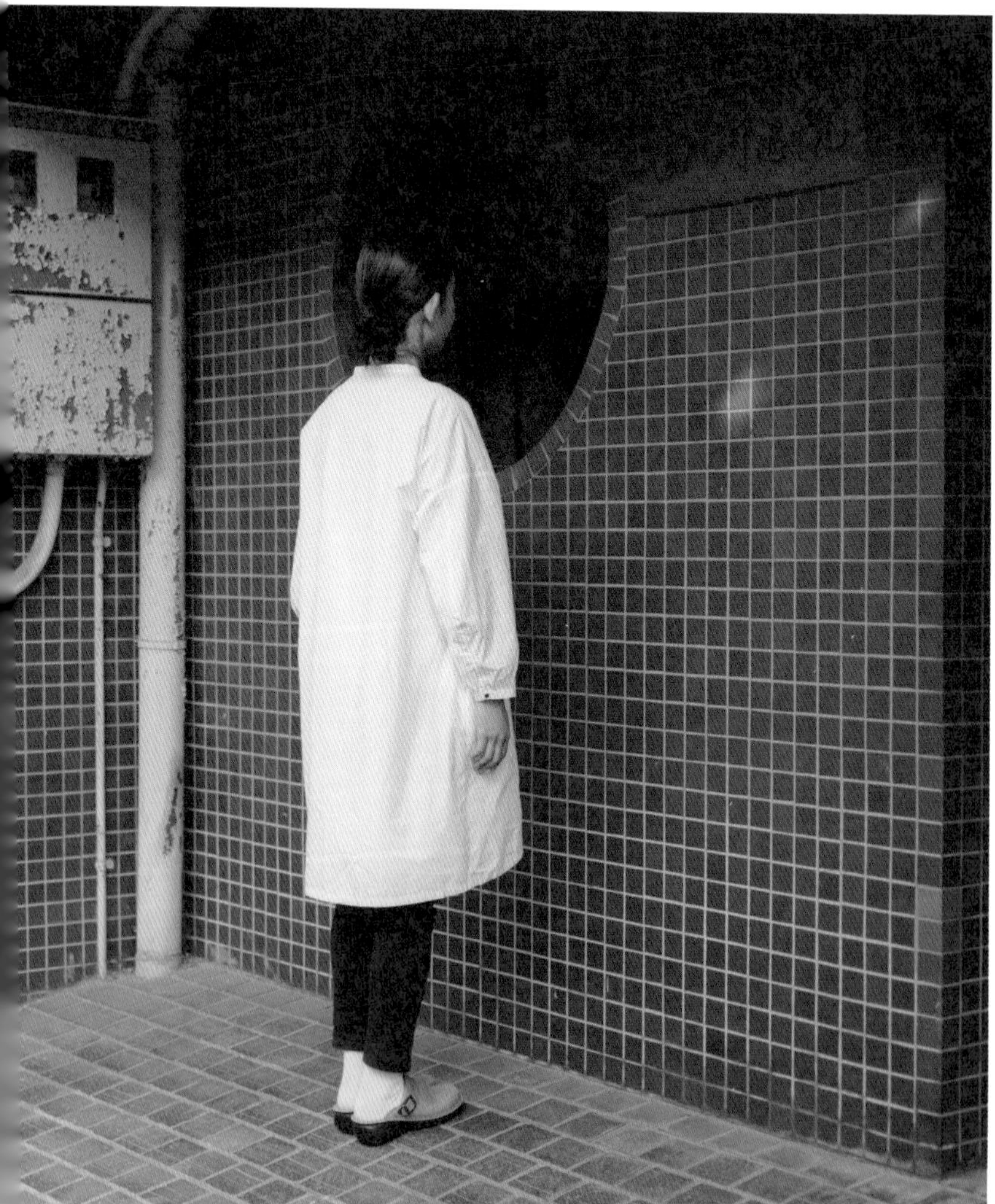

IRIS Oily Dune Nubuk

KEDMA Luggage Brown

CLARA Chestnut

LODOS Light Grey Nubuk

15　地球に靴で乗る　小檜山貴裕

PISAC Rumba

17　地球に靴で乗る　小檜山貴裕

TETE Arizona Tan Leather

「地球に靴で乗る」というテーマで写真を撮る

地球と靴のスケールの差があまりにも大きすぎて途方にくれていたとき、この冊子に載るというお二方の対談を読ませてもらいました。その中で「地球に乗せてもらってるっていう謙虚な気持ちを忘れたらいかんな」とお話されていて、そうそう、そろそろ地球への感謝を行動に表していかないと！　と僕は思ったのです。

ならまちを歩くことから撮影場所の探索を始めると、タイムスリップしたような感覚に陥る場所がたくさんあって、それを写真に撮ればもうそれはテレポーテーションなのです。

ここが元々は元興寺の境内だった場所だということを知ると、ならまちもまた小さな宇宙に思えます。大昔に境界が引かれ、内と外からのいろんな力によってずっと守られてきたところにＮＡＯＴさんのお店がちょこんと乗っている。

靴は人と地球の境界にあって、人と地球を繋いで守ってくれるもの。靴を履いて地球に乗せてもらって、ならまちの時空をひょいひょいと瞬間移動してみせる、そんな写真を撮りました。地球へのありがとう、ちょこっとでも伝わりますように。

小檜山貴裕

１９７４年東京生まれ。写真家。記念写真、書籍、ｗｅｂ等の依頼撮影と共に２００８年頃から写真作品の発表を続けている。京都在住。

ウェブサイト：noboka.net

境目を見つけて越える

能町みね子

能町みね子
北海道出身、文筆業。最新刊に「結婚の奴」（平凡社）。

小学校低学年のころ、両親と初詣に行く神社はそんなに大きくなく、並ぶ列もせいぜい数十人という規模のところでした。年が明けたばかりの夜更けではなく、私たちは朝にみんな揃って初詣に行きます。

うちから車で10分弱、駐車場に車を止めて裏口のようなところから境内に入っていくと、社殿につながる砂利道があり、参道に人が並んでいるのが見えます。その列のいちばん後ろに私たち家族は合流します。

社殿からまっすぐ伸びる石畳の参道の、正式な入り口を子供の私は知りません。参拝客のほとんどは駐車場から社殿のほうに向かうので、みんな裏口から砂利道を通って参道に途中参加するような形になります。

列の最後尾に並んで、正式な入り口だと思われるほうを眺めると、石畳と鳥居が延々と果てしなくつづいており、その先は靄がかかったように見えません。その神聖さがいかにも神社らしく、この世とあの世を隔てているようで少し怖くもあり、私はいつか大きくなったらこの鳥居を延々くぐってこの先を見に行きたい、とひそかな希望を燃やしていました。

小学校高学年になり、自転車で方々に出かけるようになると、この神社のあたりに住んでいる友達ができました。とても遠いところだと思っていた神社に、平気でひとりで来られるようになりました。自転車で友達のうちの周りを走り回るうちに、いつのまにやら神社の正式な入り口にもたどりついていました。

いつも眺めていた列の最後尾のあたりから正式な入り口までの距離は、なんと約３００メートル。

この世とあの世ほどの遠さだったはずが、たったの３００メートル。妙なロマンを感じていた幼い頃でも、思い切って家族に「あっちに行ってみたい」と切り出せばなんなく歩いていける程度の距離でした。

あの頃の期待感は記憶にあったけれど、実際に来てみるとさほどの感動はありませんでした。仰々しさも神々しさも特になく、畑の中に林があり、そこにポツンと看板と鳥居が立っているだけ。一度来て、見て、実感してしまえば、靄がかった空間に馳せていた憧れも嘘のように消えてしまいます。

こういうことの繰り返しで、人生は少しずつつまらなくなっていきます。

日常のほとんどのことはやったことがあることで、日常のほとんどの場所は行ったことがあるところ。「未体験」はなくなってゆく。知らないことがあったとしても、すぐに知ってることと結びつけ、知ってることと同じ箱に分類して、不安も憧れも希望もちょっとずつ少なくなっていく。

今年巻き起こった新型コロナウイルスという未曾有の禍に際して、幸いにも私は日常生活にそこまでの不便が生じませんでしたが、家からあまり出ないまま、いつ明けるか分からないモヤモヤした日々は続きました。こんな状況はもちろん誰にとっても未体験だったでしょうが、この不安だって私は何か知っていることと結びつけてしまいます。まるで入院していたときのようだとか、無職だった若いときのようだとか、良くも悪くも何かに例えてしまう癖のおかげで不安はかなり小さくなります。

仕事は少なくなって、緊急事態宣言中には暇を持て余す日もありました。人に会ったり近づかなければいいのだから、と一念発起し、ある日の夕方、長めに散歩することにしました。

ずいぶん前に買って使わなくなってしまったジョギングシューズを久しぶりに履き、荷物は最小限にして自宅を出ます。しばらくしてスマホの充電がかなり少ないことに気づいて、しまった、と思いましたが、ふだんから地図を眺めるのが好きな私はこのあたりの地理感覚はおおむね体得しています。スマホの地図に頼らなくてもまあどうにかなるでしょう。

細道をくねくね抜けるのを楽しみながら、太い街道を渡り、また路地に迷い込み、工場街を抜け、鉄道ガードをくぐり。沈んでいく西日に向かって目を細めながら、板橋区舟渡、第一硝子の巨大な煙突が見えてきて、あ、ここ東北や北陸に行くとき新幹線から見えるあの煙突だ！　こんなところまで来ちゃったよ。どんどん気持ちが乗っていきます。

しかし私はここから先に歩いて行って何があるか、もうまったく分からない。私の脳内にざっ

くり描かれている地図はこの線路までです。どうする。この先行く?

行っちゃおう。

さっぱり分からないところへ向かって歩いて行くなんてこと、もうずっとしていませんでした。既知のこちら側と、未知のあちら側の境目を感じたことなんて本当に久しぶり。この先は、あの頃見た神社の参道の先と同じ。スマホの地図なんか見ずに、子供の頃に越えられなかった境目を越えてしまおう。もうだいぶ足は痛いんだけど。

トラックがびゅんびゅん走る街道を渡って、川を渡り、川岸にあるつぶれたラーメン屋とアダルトショップを横目に見て、団地と団地の間を横切って。殺風景な場所から、少しずつ人が増えてきました。妙にテンションが上がって歩くペースが落ちないのに、体力は明らかに足りていない。私はもううっかりするとふらつきそうなくらいになってきました。お店もポツポツ増えてきて、あ、鉄道のガードらしきものが前方に見える。どこですかあれは! 何線ですか? まったく分からない。あそこがきっとユートピアだ。私は靄がかる参道を抜けて、こちらとあちらの、既知と未知の境目を越えて、理想郷に着いたのだ。大人になってもこんなことができるんだ! 歩いてユートピアに行けるんだ!

ユートピアは、「蓮根」でした。都営三田線、蓮根駅。

特に縁もなければ、以前から来たかった場所というわけでもない、ふつうの住宅街です。なー

んだ。都営三田線だったのね。

私はもう充電が残り３％くらいだったスマホでどうにか帰り方を調べ、バスに乗って帰りました。

ほら、知った瞬間にすべてが「こちら側」に来ちゃいました。理想郷も調べた瞬間に既知のもの。現実〜。

しかし、第一硝子の煙突を越えてから鉄道ガードが見えるまでの時間、私は確かに参道を見ていたあの頃の気持ちになっていたのです。

知っていることと知らないことの境目なんて、自分が頭で決めているだけ。ものすごく歩くというただそれだけで、周りは未知だらけになって、気持ちがすぐに子供に戻れる。

ちょっと人生が行き詰まったら、ひたすらめちゃくちゃに歩けばいいのだ。自分のなかの境目を毎回ぐちゃぐちゃにしたい。

靴の歌

穂村弘

穂村弘
1962年札幌生まれ。歌人。1990年に歌集『シンジケート』でデビュー。短歌のほかに評論、エッセイ、詩、絵本、翻訳等を手がける。著書に『手紙魔まみ、夏の引越し（ウサギ連れ）』『世界音痴』『本当はちがうんだ日記』『にょっ記』『君がいない夜のごはん』『絶叫委員会』『ぼくの短歌ノート』など。2019年にNHKラジオで「ほむほむのふむふむ」放送開始。

「ものごとの境界」というテーマをいただいて、最初に連想したのは皮膚である。皮膚とは自分と世界との境界だと思う。この内側にナイフとかウイルスとかが侵入してくると大変なことになる。ナイフのような物理的な攻撃に対しては痛覚という境界突破のアラームがある。でも、ウイルスに対してはそれがないように思えるのはどうしてなんだろう。喉が痛いとか咳込むとか熱が出るとかはアラームではなく症状だから、そうなった時はもう遅い。風邪やインフルエンザや新型コロナのウイルスが境界を越えて侵入する瞬間がわかったら、何か手が打てるかもしれないのに。

「ものごとの境界」に関して、皮膚の次に思い浮かべたものは靴である。こちらは自分と地面との境界だ。家を出てから帰ってくるまでの間、原則的には靴の底だけが地面に触れ続けている。それ以外の部分が地に触れるのは、なんらかのアクシデントが発生した時だろう。そう云えば、東日本大震災の後は枕元に眼鏡と靴と携帯電話を置いて眠っていた。サバイバルのための最重要アイテム。これらがないとたちまちお手上げになってしまう。大学のワンダーフォーゲル部に入った時も先輩に「靴だけは良いものを買うように」と教えられた。それだけ自らの生命と密接に関わっているということだ。

以下では「履く境界」とも云える靴に纏わる短歌を集めて、その特性や意味について考えてみたい。

靴靴靴おんなじ靴ってないもんだ今この時間このホーム上に

杉本葉子

穂村弘『はじめての短歌』

帽子を被っていない人はいる。眼鏡を掛けていない人も。でも、靴を履いていない人はいない。作中の〈私〉は電車を待ちながら、ホーム上で人々の足だけを見ている。そして「おんなじ靴ってないもんだ」と思っている。無数の靴の上には無数の人生が載っている。おんなじ靴がないことはおんなじ人生がないことに通じているのだろう。

いつからか順位が変わり玄関の一番小さな母さんの靴

立原碇

穂村弘『短歌ください　君の抜け殻篇』

本来は目に見えないはずの時間の流れが、家族の靴の大きさの変化を通して可視化されている。履いている時よりも玄関に並んでいる時に、それはよりはっきりとわかる。靴が増えることとは家族が増えること。靴が大きくなったり革靴やハイヒールになったりすることは子どもが成長すること。

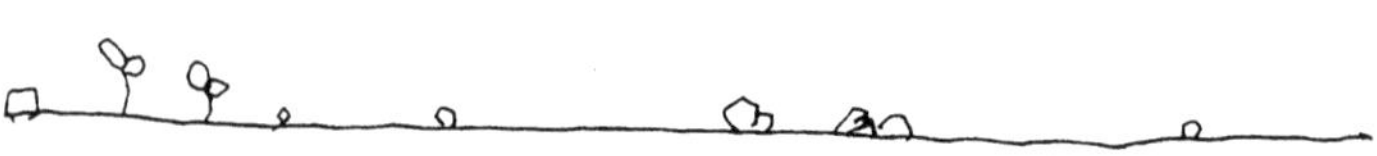

原色の靴で溢れる図書館に喋らへんでも大阪がある
告成美幸
2014年5月4日　日本経済新聞・日経歌壇

土地柄の歌。大阪って「原色の靴」が多いんだろうか。確かめたことはないけど、そう云われればそんな気もする。「喋らへんでも」という関西弁に奇妙な説得力がある。

理由など訊かない方がいいだろう左右の靴が違うその人
小杉なんぎん
2018年11月3日　日本経済新聞・日経歌壇

こちらは個性的な人の歌。ハイレベルなお洒落であれば問題ない。が、そうでない場合はたぶんヤバイ人なのだろう。その理由を聞くことによって、危険な扉が開いてしまう可能性がある。

朝もやの中にかたっぽ靴がありあまった夜が逃げ込んでいた
ティ
穂村弘『短歌ください　君の抜け殻篇』

靴が落ちているとどきっとする。落とし主はどうしたのか、と反射的に考えてしまう。この場合は酔っ払いだろうか。確かに靴の中には必ず小さな闇がある。だが、その正体が逃げ込んだ「夜」だったとは。

サンダルやスリッパやブーツや草履まで足もと混沌成田空港　江川森歩

2017年3月25日　日本経済新聞・日経歌壇

「サンダルやスリッパやブーツや草履まで」には一種の無法地帯的な面白さがある。服装や履物に関して国際線のロビーは特別な場所。すべての気候や風土が同時に存在しているのだ。

火葬場に靴靴靴が集合しひとり裸足で来た祖父がいる　木下龍也

穂村弘『短歌ください　君の抜け殻篇』

裸足ではどこにも行けないと思っていた。だから、震災の後、枕元に眼鏡と靴と携帯電話を置いていたのだ。だが、この歌を見て、例外があることを知った。「ひとり裸足で来た」という表現に、はっとさせられる。ここでは靴の有無によって人間の命が照らし出されている。それま

でずっと履き続けていた靴から解放される日がいつかくるんだ。

車椅子の女の靴の純白をエレベーターが開くまで見る

木下龍也

穂村弘『短歌ください　君の抜け殻篇』

「車椅子」だから靴にはほとんど出番がない。にも拘わらず、足に装着されている。それによって靴の存在感は逆に増しているんじゃないか。この「純白」は単に一つの色という以上の、純粋なモノとしての輝きを放っていたのだろう。

ごうごうと花びらは樹を離れつつ零戦は土足禁止と思う

カー・イーブン

穂村弘『短歌ください　君の抜け殻篇』

「貴様と俺とは同期の桜」という軍歌の歌詞があるが、作中の「花びら」は発進する零戦とそれに乗った若い命の譬喩《ひゆ》なのだろう。「ごうごう」からはエンジンや風の音が連想される。実際の戦場で「土足禁止」だったとは思えないから、これはかつての搭乗員の魂に対する敬意が示されているのだろう。

絵本ではムカデも靴をはいていて遠足のあと一斉に脱ぐ　山上秋恵

２０１５年２月８日　日本経済新聞・日経歌壇

絵本の中の靴の歌である。どんなストーリーなのかはわからないけど、ムカデが靴を一斉に脱ぐシーンはくっきりと目に浮かんでくる。たぶん見せ場の一つだろう。ミミズだったら楽なのになあ。

汚染地を出れたら履こうと思ってたストラップシューズおろしてしまう　モ花

穂村弘『短歌ください　君の抜け殻篇』

東日本大震災後の歌である。ラストの「おろしてしまう」に目が吸い寄せられる。ということは、作中の〈私〉は今も「汚染地」の中にいるのだ。その地を踏む真新しい「ストラップシューズ」。そこには絶望と共に一筋の決意も宿っているようだ。

ものごとの境界線

広瀬裕子

広瀬裕子
エッセイスト／設計事務所共同代表
「衣食住」を中心に、こころとからだ、日々の時間、食べるもの、使うもの、空間、目に見えるものも、見えないものも、大切に思い表現している。執筆とともに設計事務所の共同代表として商業施設、住宅などの空間設計、飲食などのディレクションにも携わる。
東京、葉山、鎌倉を経て、現在は香川在住。
著書に『55歳、大人のまんなか』『整える、こと』（ＰＨＰ）など多数。
Instagram yukohirose19

高知の川に行くことをたのしみにしている。地元の人しか行かないような、もしかしたら地元の人も行かないような、山の川へと友人が連れて行ってくれる。河原には大きな岩があり、その岩が水をせき止め、川の流れにいくつもの表情をつくりだしている。暑い季節は鳥とセミと水音が、寒い時期はかさかさと風に舞う落ち葉と川の音がわたしたちを包む。

夏はこの川で泳ぐ。真夏でも川の水はとても冷たい。躊躇しながらも飛びこめば澄んだ水の世界の一員になる。

しばらく水のなかに身を置いていると自分の感覚が変化していくのがわかる。自分自身が、川の水と一体化していくような感じがしてくるのだ。

澄んだ水のなかにいると、身体のなかにある余分なものや不要な感情が流れだす。代わりに入ってくるのは清らかな水だ。その水

のお陰で少しずつ自分自身が澄みはじめる。しばらくすると自分が川の一部になったように思う。それは川と自分の境界線が曖昧になった状態だ。わたしは川で、川はわたしになるのだ。
夏の陽が川底を照らし、そのひかりのなかをちいさな川魚が横切っていく。その時——わたしのなかを銀色の魚が泳いでいったと感じる。

自分と他者の境界線がある。人と物との間にも境界線がある。川と人との間にも。けれど、川と人との境界線がある瞬間、曖昧になる時があるように、人と人、物と人との境界線も曖昧になる時がある。

例えば、長く使っているものが自分の身体の一部になっていくような時がある。使いつづけたもの、着つづけたもの、履きつづけたものが馴染んでいくのは、自分と使いなれたものの境界線が曖昧になることだ。一客のカップが、一枚のシャツが、一足の靴が。澄んだ川の水と自分が同じになるように。

あの旅へ、と思っている。あの旅とは、サンティアゴ・デ・コンポステーラ——スペイン巡礼の旅。

スペイン・ガリシアにあるサンティアゴの大聖堂を目ざす旅は、中世からはじまりいまも途切れることなくつづいている。イエス・キリストの弟子のひとり、サンティアゴの遺骸が奇跡的に見つかったことから教会が造られ、それからサンティアゴが眠る聖地を目ざし人々の巡礼がはじまった。

うつくしいのんびりとした牧歌的な風景や多くの人が集う賑やかな町、ときには険しい山道を歩く巡礼者（旅人）の1日の行程は平均10キロと言われている。

この巡礼の旅を知ったとき、どうしようもなくこころ惹かれた。旅人がするのは、歩き、食べ、歩き、眠るという行為。そのなかに織りこまれていく祈り。時間の経過とともに誰しも経験するのが大聖堂への思いと自分自身への問いだと聞く。

目的地に向かう歩く旅はほかのところでもできる。でも、多くの人がその地に向かうことに惹かれるのは、やはり巡礼という道のりだからだろう。
巡礼の旅で人々は何を思うのか、と同時に、自分自身が何を感じるかにも興味がある。

人生を見直したり、ふり返ったり、再スタートするために。自分がつくり出したせまい世界や、外からつくられた壁のようなルールからぬけだすために。世界中からこの地を目ざして来る人に出会うことで、自分のすべてだと思いがちな世界がすべてではないことを知るために。またその逆もある。世界の中心は自分でしかないということを確認するために。
世界と自分との境界線は常に曖昧で、自らの意志や見方でどうにでも線を引くことができる。ときにその線も引き直せる。その感覚を身体に落としこむには、日常から離れた時間とシンプルな行為が必要だ。その必要なことを巡礼という方法で聖人は人々に残してくれた。

必要最低限の荷物のなかには何をいれよう。飲み物と軽食、タオル。山に備えて防寒着も必要だ。巡礼の旅になくてはならないものがある。歩くための靴。自分の身体の一部になってくれるような、既になっている馴染んだ靴。歩き方のクセや左右微妙にちがう足のサイズを受け止め、地面の衝撃から守ってくれ、晴れた日も雨の日も静かに寄り添ってくれるお守りのような靴。

サンティアゴ・デ・コンポステーラへは、50歳のとき55歳になったら行こうと思っていた。実際55歳になったとき、世界は自由に行き来できる状況から一変していた。この先どうなるかわからないけれど60歳になったとき大聖堂への旅が叶えられたらうれしい。そのときわたしは自分の足で、歩きやすい靴を履き、人生をふり返りながら、味わいながら大聖堂への道を歩くのだ。

「地球に靴で乗る」対談

浅生鴨×高橋久美子

浅生鴨

作家、広告プランナー。

１９７１年、兵庫県生まれ。

レコード、デザイン、広告、イベントほかさまざまな業種を経て、ＮＨＫ入局。２０１４年にNHKを退職し、その後は執筆活動を中心に、広告やテレビ番組の企画・制作・演出などを手掛けている。著書に『中の人などいない＠ＮＨＫ広報のツイートはなぜユルい？』（新潮社）、『伴走者』（講談社）、『どこでもない場所』（左右社）、『面白い！を生み出す妄想術　だから僕は、ググらない。』（大和出版）など。みずから編集まで手掛ける同人誌制作にも力を入れており、近著に『雨は五分後にやんで 異人と同人Ⅱ』（ネコノス刊）がある。

高橋久美子

作家・作詞家・詩人

１９８２年、愛媛県生まれ。チャットモンチーのドラム・作詞家を経て、２０１２年よりもの書きに。

詩やエッセイ、小説の執筆の他、様々なアーティストへの歌詞提供も行う。

近著に、10年間のバックパッカー旅をまとめたエッセイ集『旅を栖とす』（KADOKAWA）がある。主な著書に、詩画集『今夜凶暴だからわたし』（ミシマ社）、エッセイ集『いっぴき』（筑摩書房）、絵本『あしたがきらいなうさぎ』（マイクロマガジン社）など。

ＮＡＯＴの周年ライブなどで詩の朗読も行っている。ＮＡＯＴ発の出版社・ループ舎の『靴のおはなし２』にもエッセイを書いている。

1 どこに行っても地球に乗ってるよ

――浅生さんはNAOTの靴ははじめてですよね。履いてみてどうですか？

浅生　NAOTの靴って意外と厚底なんだね！　しかも足が楽〜！　さっきまで履いてた靴の底がペラペラだから、余計厚みを感じる。
　しまった、こんなに靴で楽になるんだね。これ買っていこう！

――ありがとうございます！
高橋さんはずっと履いてくださってますよね。

高橋　ほんとに楽で、いつも履いとるよ。もう10年くらい。革がすごい柔らかいよね。靴底直しながらずっと履いています。

浅生　革靴なのに気取りすぎてないよね。

高橋　NAOTの靴は旅行はもちろん、ちょっと素

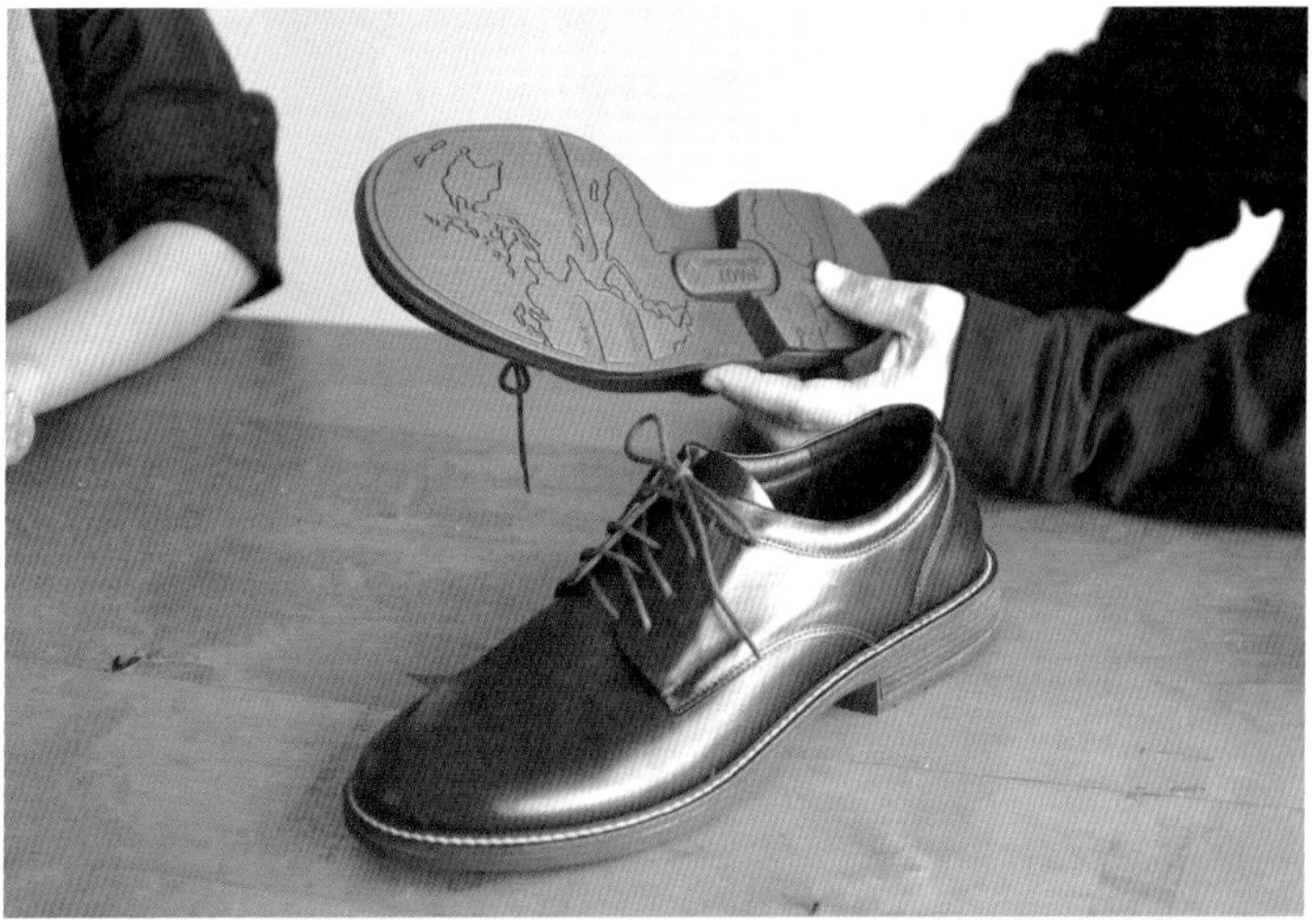

敵なお店にも履いていけるし、日常で散歩するのにもちょうどいいし、どんな場面にもマッチするのが良くて。以前サボでお出かけするのはどうかなと思っていたんだけど、今では旅行にも履けるくらい。

浅生　あ、紐靴もあるんだね。

高橋　そうそう、紐靴も履いているんですが、めっちゃ歩きやすいんですよ。紐で調整できるから、サボとは違った良さがあるよね。私は靴下を冬だったら3枚、夏だったら1枚履くんです。だから紐で調整できるのが良くて。やっぱり女子はそれが嬉しいよね。だんだん馴染んでくる。

浅生　（靴底を見ながら）これ、裏が地球の柄になってるの？　じゃあ、この靴を履いた時点ですでに「地球に乗ってる」よね。

――メンズの一部ソールは世界地図になっているんです。

浅生　どこに行っても地球に乗ってるよ。

高橋　最初から地球に乗るコンセプトで作られてるやん！

浅生　ちゃんと地球を自分の足で踏む靴だったよ。裏見てよかった！　見逃さない。

2 靴は地球との媒介者

――地球に靴で乗ると聞いてどういう想像をしますか？

高橋　私は、地球に乗せてもらっていて地球の動きに合わせて生きるというのを想像しました。バスや電車に乗るように自分の時間で動くのではなく、みんなで同じ方向へって。

今はコロナで色んなことがストップしてるから、考える時間がたくさんあって、地球の未来のこととか考えるんやけど、２０３０年頃には北極の氷山がなくなるかもしれない、そしたらシロクマも絶滅しちゃうとか。

浅生　もしそれが現実になったら、アイスのシロクマが残るのかな。昔はこんな生き物がいたんだよって。

高橋　そうですねえ。そうならないように、地球に乗せてもらってるっていう謙虚な気持ちを忘れたらいかんなって思うんです。

――一歩外に出たら地球ですよね。

高橋　いや、外に出なくても地球よ！　家で寝ててもそこは地球やから。

浅生　変な言い方かもしれないけれど、やっぱり人は地面に縛られて生きている生き物なんだなって思う。どんだけ足掻いても地面から逃れられないというか。高層ビルだって地面のうえに建てているし。それは弱いものということではなくて、だからこそちゃんと立とうって。つい忘れがちなんですけど、地面にしっかり立つっていう意識は大事だなと。

そして地面と私たちの体の間にクッションとして挟まっているものが靴。靴によって立ち方が変わるっていう。さっきＮＡＯＴの靴に履き替えた時もそう感じたけど、靴によって地面の感じ

方が変わるなと思います。

高橋　靴は地球との媒介者っていう感じがしますよね。昔は裸足で歩いてたから、もっと直に地面を感じてたけど。運動会とか裸足で走りませんでした？　裸足の方が早く走れるっていうジンクスがあったような。

浅生　棒倒しと騎馬戦は裸足だったな。それ以外は運動靴を履いてたよ。

高橋　そうかぁ。高校生くらいになったら靴を履いて走るようになって。そうすると、地面に直接触れている場所って靴なんですよね。

浅生　結局僕たちは地球の上に立っているくせに、直接は立っていないんだよな。間に何かが挟まっている。床があったり、舗装道路があったり、色んなものが挟まって、最終的には靴が挟まってきて。ヨーロッパだったら石畳でしょ？　東京はほとんどコンクリートかアスファルト。間に何が挟まっているかは、文化によって変わってくると思う。

3 靴は記号である

浅生　氷とか雪が確実にある寒い世界に行くときには、完全に足を守ってくれる靴が大事。足が寒くなると動きが鈍くなる。体が冷えても足さえ温かかったら、大丈夫。平昌オリンピックを取材したときは、体感温度がマイナス40度なんです。はーって吐いた息がパリッて音になるような世界で、よくオリンピックやったなって思うんですけど（笑）。

高橋　あの時みんな寒そうでしたよね。

浅生　寒すぎて倒れてた人もいたくらい。行くときに靴だけは本気のもので、靴下もエベレストに登るような人が履くものを用意して。

――登山靴みたいなのですか？

浅生　登山靴よりもう一つランクが上ので、防水と防寒のため、内側に毛があるもの。意外と動物の毛とかの方が温かいんですよね。靴下もウール100%の方が実は温かい。動物のものってすごいなって思う。靴も合皮ではなくて本物の、トナカイの革とか使ってる方が温かいんです。

守るっていう意味で、化繊より生き物から作られているものの方が、意外と丈夫だし、意外と温かい。そういうのを平昌で思い知った気がする。

高橋　クロアチアに行った時、ちょうど大寒波がきてマイナス43度だったんですね。スニーカーとジャンパーで行って、イタリアに着いた時点でやばいなと思って、女王が着るみたいなコートを買ったんです。現地では、みんな顔も目以外は完全に覆って、革のブーツを履いているんです。私だめやなと思いつつ、靴だけはずっとスニーカーで頑張っていたんですけど、いよいよクロアチアで足先がしもやけになって。それでやっと長靴も買いました。そうすると雪の中に行っても全然平気なんですよ。その場所を旅するっていうのは、そこにだんだん馴染んでいくっていうことだなと思いました。

浅生　その場所で使っている道具を使うのがいいよね。

高橋　ですね。場所によって、色んな生活があるんやなぁって思いました。

浅生　逆に、暑いところに行く靴は想像できないな。

高橋　結局ビーサンですかね？　どんどん脱いでいくから、めっちゃ解放される感じがあるなぁ。私が四国出身だからか、北に行けば行くほど、例えば東北、北海道やフィンランドを旅すると、キュッてなるイメージです。

浅生　南の方はどんどんカジュアルになるよね。

高橋　荷物も軽くなりますよね。Ｔシャツとサンダルでいいから。

浅生　例えばルーブル美術館とかメトロポリタン美術館に行く時は、何となくフォーマルな靴で行きたい気がする。

高橋　ルーブルはやっぱりＮＡＯＴの靴で行ったな。

浅生　ある程度文化や歴史がちゃんとしてるところには、こちらも礼儀正しい靴で行きたい気がするんだよ。

高橋　教会に行くのもサンダルとかで行けないじゃないですか。肌を出さないっていうのがあるからね。

浅生　ネパールの寺院は靴を脱がなきゃいけないけどね。裸足で入らなきゃいけないから。

高橋　全部脱いでしまえば、それは別次元になりますね。

浅生　歌舞伎の舞台も靴を脱いで上がらなきゃいけない。靴って日常的に使う道具でもあるんだけれど、文化的な場所とか歴史的な場所とか、人の思いがこもった場所に行くときは、私は今こういう考えを持っていますっていう意思表示をする記号でもあるので。サンダルで行くときは、私はここをサンダルで来る場所だと考えましたっていう。

高橋　Ｔシャツ短パンでも靴がちゃんとしてれば、心構えが見える感じはありますよね。

浅生　単なる道具ではないんだよね。何か思想を表現してる部分が、靴には時々あるからね。〝靴は記号である"っていいこと言った気がする。どんな靴を履いているかで、その人の考えとか、その場に対する意思がわかるっていう。全く無頓着な人もわかるしね。

4 靴から生活が見えてくる

高橋　足もとを見たらその人の生活全般が見えてくると思うんです。例えば出かける準備をして、いざ靴を履く時に「あ！　靴を磨いてなかった」みたいな時って私もあって。服がパシッと決まってるのに、足もとがずっと気になる。普段からちゃんと磨いている人っていうのは、出かける前じゃなくて帰ってきたらすぐに磨いてるんでしょうね。

浅生　サラリーマンのおじさんなんだけど、黒い革靴が真っ白になってる人とかいて。真っ白な黒い革靴っていう不思議なものを履いてる（笑）。

高橋　あ～、いますねえ。なんか切なくなるね。

浅生　すごく忙しいんだろうなって思う。

あと、夏の田舎道で少し逃げ水が出るようなところを、汗かきながらサラリーマンのおじさんが上着脱いで、ちょっとタオルで汗拭きながら向

こうから歩いてくる足もとが、ちょっと砂で白くなってるのは好き。

高橋　指でシュッてやると字が書けちゃう。

浅生　頑張ってるなぁ、おじさんって。

高橋　靴みたら頑張ってるなってわかるよね。若くてまだホヤホヤやのに、靴がパキッとしたのを履いてる新入社員さん。気合い入ってるなぁって思う。

浅生　これは女の子に多いんだけど、その靴履いててめちゃくちゃ嬉しいんだなっていうのもあるでしょ？　100%、この靴に今夢中だわっていう。

高橋　靴めちゃくちゃ好きな人っておるよね。私も夫に足が二つしかないのにってよく言われるんですけど、やっぱり靴って物として以上の愛着がすごくあって、その時の空気を一身に吸っているんですよ。展覧会の準備をする時に、スリッポンの方が脱ぎ履きしやすくて良いんです。その時履いていたスリッポンにはペンキとかたくさんついてドロドロになっているんですけど、それでも捨てられないんですよ。

浅生　それは捨てられない性格だからで、僕はそれを捨てられると思う（笑）。

高橋　そうかな～（笑）。やっぱり靴は物体としてその時の空気を吸い込んでるっていうのがあります。

浅生　僕は用途によるかな。つまり、日常使いなのとフォーマルなのと運動靴とっていう用途で分かれてる。

高橋　真面目ですね。

浅生　物をあんまり持ちたくないから絞ってて。高橋さんは大量に物をためる派でしょ？

高橋　そうですね、浅生さんが来たら全部捨てると思います（笑）。浅生さんみたいなきっちりしてる人は、帰った時に靴磨きするタイプだな。出かける直前になって慌てない。靴って余裕の対にあるものだと思います。全部整った次にあるというか、さらに上にある気がする。靴好きの人って、好きだからたくさん持つのもあるけど、好きだからちゃんとメンテナンスして大事に何年も使ってると思う。それに、靴は芸術に近いジャンルのような気がします。造形物だもんね。

5 履いても脱いでも ほっとする

浅生　靴って不思議で、ずっと履いていると脱いだ時にほっとするんだよ。でも、ずっと裸足でいて久しぶりに靴を履くと、こんなに楽なんだって思うこともある。靴があってよかったし、外してもよかったっていう、そういう不思議なもののような気がします。

——お家に入って靴を脱ぐとほっとしますね。

浅生　靴を履くとちゃんとする気もする。気持ちのスイッチになることもあるし。裸足で川遊びしたあとに、最後に足拭いて、靴下を身につけて、靴を履いた時は、気持ちいいよな。

高橋　ぬくいんだよな〜。靴に守られてる感じがするんですよね。

浅生　乾いてカピカピになって白くなる感じも好き。川で足を洗い流したあとに、きれいに新しいタオルで拭いて、新しい靴下を履いて、靴を履くのが気持ちいい。

高橋　裸足も靴もあって、どっちもいいよね。裸足の状態を知っているから、靴の良さもわかるというか。靴の良さも知っているから、裸足の良さも分かり合えるんだろうね。

浅生　ほんとに足が疲れているときは、いい靴があると嬉しい。

高橋　旅してる時によく思いますよね？　旅先でめちゃくちゃ疲れてるときに、マッサージとか行って、やっぱり靴が大事なんやなって気づくんですよね。

浅生　ネパールを旅した時は変な靴で行ってしまって、ひどい状態で。しまったな、いい靴で行ってたらどんだけ楽だったんだろうって。

高橋　靴で疲れが全然変わりますよね。

浅生　肉体的にもそうだし、心理的にもちょっとあると思う。あとその街に合った靴を履くと、気分がちょっと良くなるんだよ。

高橋　浅生さんが持ってるベルギーの木靴とか。

浅生　あれは痛いんだけど、ベルギーの街を歩いて、石畳に木がコツコツぶつかる音を聞くと、ここにいるんだなって感じがする。

高橋　その土地のお酒をその場所で飲むと美味しいっていうのと近い感じだね。

――靴が絶対あってほしい場面もありますよね。

浅生　災害の時は、枕元に靴を置いときましょうっていうのが、ある時から基本ルールとなっているよね。

高橋　やっぱり人間って弱いものだなと思うのは、割れたガラスの上を歩かないかんとなったとして、足裏をやられたら、もう何もできないですよね……腕ならなんとかなるけど、足の裏ってどうにもならんと思う。

浅生　足の裏やられちゃうと、動きがゆっくりになるし、逃げられなくなるよね。

――足の裏って怪我したことありますか？

浅生　もうしょちゅう。一番ひどかったのは、小学校2年生くらいで釘を踏み抜いた時。

高橋　え〜！！！　踏み抜いたってことは、上まで出たってことですよね？

浅生　出て、引っこ抜いたんです。木に釘を打ったやつが捨ててあって、バカだから、走ってて、それを裸足で踏んじゃって。

高橋　ぎゃ〜！　私も海で貝殻踏んだなぁ。足の裏のちょっとした傷なんやけど、痛くて歩けんのよなぁ。手の裏とか足の裏とか一番神経が集中してるところよね。『守ってあげよう足の裏キャンペーン』をせんと！

浅生　やっぱり枕元には靴を、だね。スリッパだとガラスは多少踏み越えられるけど、逃げなきゃいけない場面だと走れないから、いざというときは靴。

高橋　すぐ履ける靴がいい。紐靴やとちょっと待って〜ってなる（笑）。ここで、NAOTのサボか展覧会のあのスリッポンだ！

浅生　すぐ履けて、走ることができるものを枕元に。

◎対談内容は2020年8月のものです。

あとがき

私たちは日頃、イスラエル生まれのＮＡＯＴという革靴を届けています。靴はほとんど毎日身につける、とても身近な存在です。行く先で出会う人やものごとを、共に経験している靴は相棒のようなもの。

「靴と人」との関係を掘り下げてみたいと思い、カタログとは違う、靴と持ち主の物語をお届けできたらと初めて本を作りました。

今回のテーマは「地球に靴で乗る」。靴は地球と私たちをつなぐ乗り物で、靴がいろんな境界を行き来するスイッチ装置のようなイメージを思いつきました。

それを写真や文章や対談など様々な方に、いろんな角度から光を当てていただいて、靴ってこんな面があったんだとか、この気持ちわかるなぁとか、ページをめくるたびに発見がある1冊に仕上がりました。ご協力いただいたみなさまに感謝の気持ちでいっぱいです。

テーマを考えていた２０２０年２月には、世界中で日常がこんなにも変わるなんて想像していませんでした。どこかへ行くこと、誰かに会うこと、それらが制限される日が来るとは。外出自粛期間中は、近所をお散歩することが日課となり、それが大切な気分転換になっていて、外の景色を見て歩けることが、ただただ嬉しかったのを覚えています。自粛期間が明けて、久しぶりにお店のある奈良へ行き、働く仲間やお店の再開を心待ちにしてくださっていたお客さまに会えた時は、思わず胸がジーンとしました。

そんな出来事を通して「地球に靴で乗る」ことは、どんな時も私たちの生活の根っこにあって、変わらないんだということを実感しました。

まだ知らない場所へ行って、自分の地図を広げたい。

大好きな人がいるあの場所で、心ゆくまで楽しい時間を過ごしたい。

たくさんのものをもらっている地球へ、感謝を忘れずにいたい。

そして私たちを支えてくれる靴にありがとうと伝えたい。

どこかへ行くこと、誰かに会うこと。それを自由にできる世界が、1日でも早く戻ってきますように。

私はこの1冊を通して、靴も、地球も、より愛おしくなりました。みなさまがどんな風に感じられたか、お話聞かせていただけたら嬉しいです。ここまで読んでいただいて、ありがとうございました。

NAOT JAPAN 編集部

Information

About NAOT

1942年にイスラエルで生まれた革靴 NAOT。NAOT はヘブライ語で“オアシス”を意味する言葉。砂の上を素足で歩くかのようなやさしい履き心地を、という願いが込められています。熟練の職人たちによって作られる靴は、柔らかな革とインソールを使用し、履き込むほどに足に馴染み風合い豊かに育ちます。

Shop

NAOT NARA
奈良県奈良市芝突抜町 8-1
tel. 0742-93-7786

NAOT TOKYO
東京都台東区駒形 2 丁目 1-8 楠ビル 301
tel. 03-5246-4863

NAOT AICHI
愛知県犬山市西古券 92 番地よきやビル 2F
tel. 0568-48-5423

お問い合わせ
NAOT JAPAN オフィス
tel：0742-93-7786　mail：order@naot.jp
オフィシャルウェブサイト：www.naot.jp

地球に乗った靴

黒木雅巳

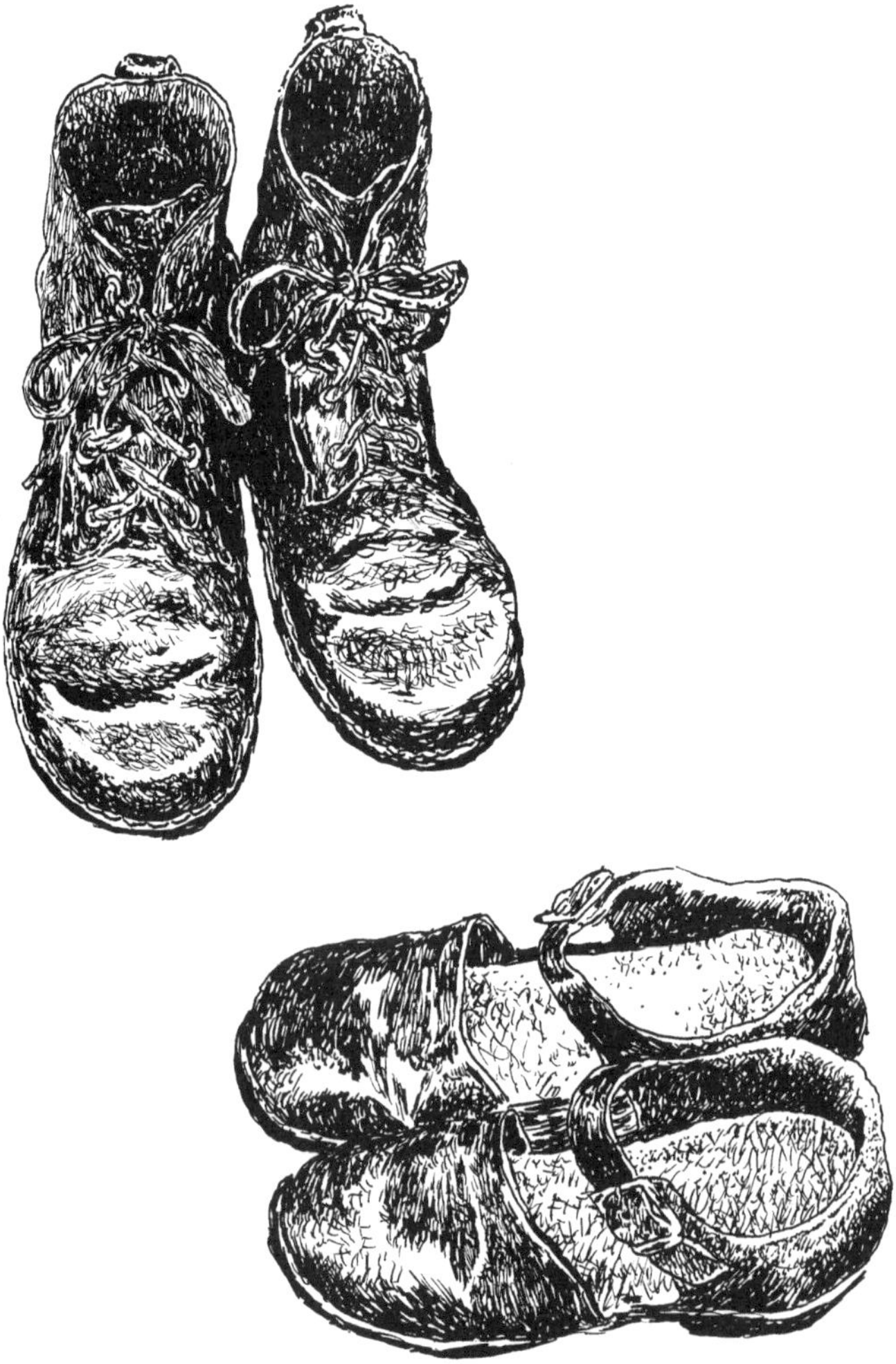

NAOT BOOK 1 地球に靴で乗る

2021年4月10日発行

著　者　浅生鴨
　　　　小檜山貴裕
　　　　高橋久美子
　　　　能町みね子
　　　　広瀬裕子
　　　　穂村弘

装丁・装画　黒木雅巳
編集・取材　NAOT JAPAN 編集部
発 行 者　宮川敦
発行・発売　ループ舎
〒630-8385 奈良県奈良市芝突抜町8-1
電話：0742-93-7786
ファックス：0742-90-1444
ウェブサイト：www.loopsha.jp

衣装協力　風の栖
印刷・製本　株式会社シナノ

ISBN 978-4-9909782-4-2 C0095